D1029371

Il me semble n'avoir été qu'un enfant jouant sur le rivage,
réjoui de trouver de temps à autre un galet plus poli,
un plus joli coquillage qu'à l'ordinaire, tandis que le vaste
océan de la vérité s'étendait devant moi, inconnu.

Isaac Newton

Pour Anouk, Maël, Titouan
Merci à Alex
O. de S.

À Sara, Émilie et Benoit.
S. P.

Collection dirigée par Emmanuelle Beulque

www.editions-sarbacane.com
facebook.com/fanpage.editions.sarbacane

Dépôt légal : 1er semestre 2015.
ISBN : 978-2-84865-777-6

Imprimé en France par Pollina.L71098.

Le Bateau de fortune

Olivier de Solminihac

Stéphane Poulin

SARBACANE

Aujourd'hui, c'est l'été. Michao nous emmène
à la plage en voiture. Qui verra la mer le premier ?

F22
T6W

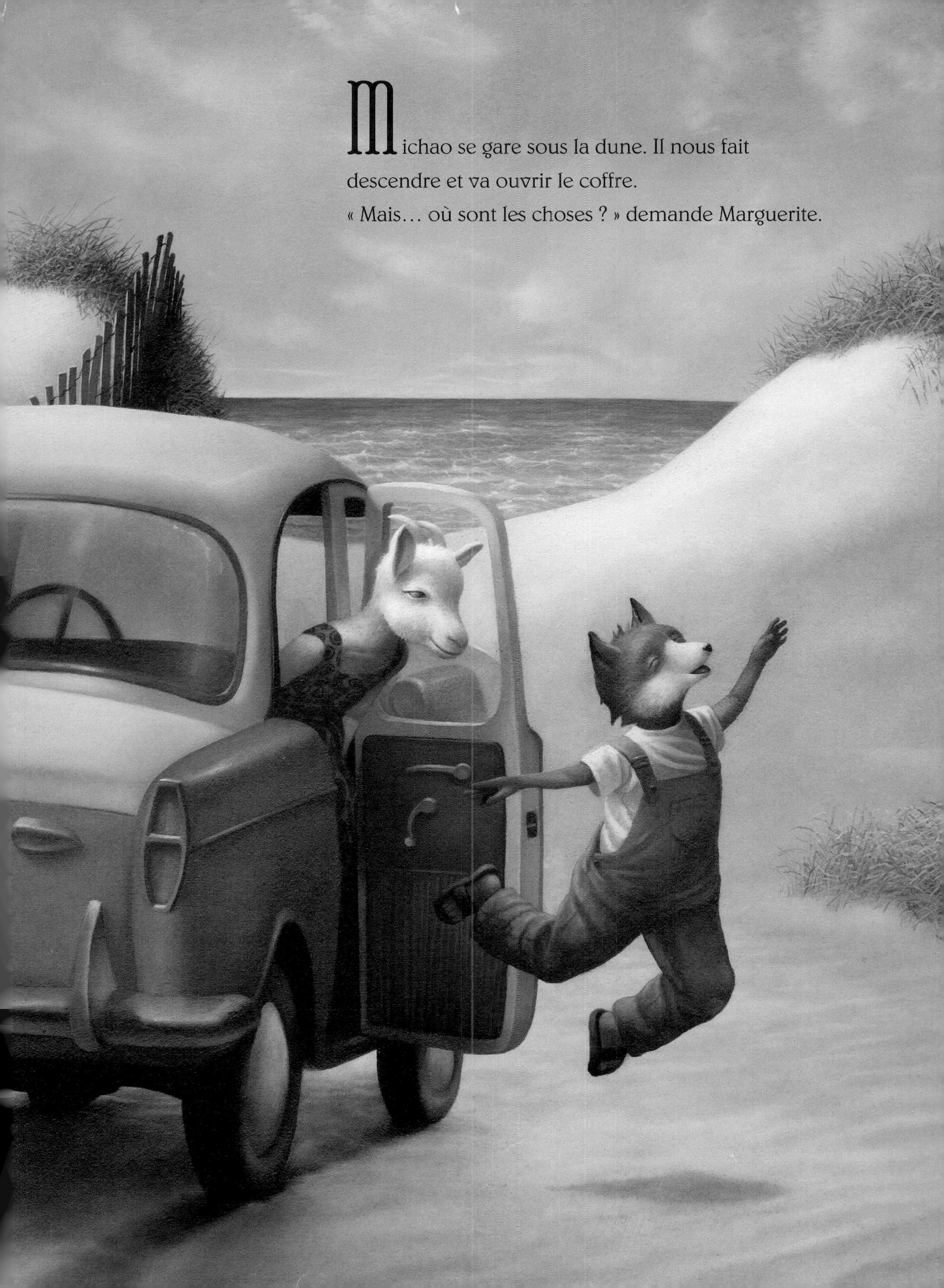

Michao se gare sous la dune. Il nous fait descendre et va ouvrir le coffre.
« Mais… où sont les choses ? » demande Marguerite.

Le coffre est désert. Pas de serviettes, pas de maillots de bain, pas de pelles, pas de seaux, pas de ballon, pas de bouée de crocodile.
« J'ai tout oublié, se désole Michao. Il vaudrait peut-être mieux rentrer à la maison. Non ? »
Le visage de Marguerite se renfrogne.
Sa lèvre du bas cherche à toucher ses sourcils.

« Tu n'as qu'à faire une magie », dis-je à Michao.
Michao se concentre. Marguerite met les yeux derrière ses mains, et moi aussi.
Quand tout est prêt pour la magie, Michao récite :
« *Abracaplaya, abracatuba, abracabarda…* »
On écarte les mains, mais les choses ne sont pas venues. Michao referme le coffre vide.
« Alors tu n'es pas le plus grand magicien du monde », dit Marguerite.

Le vent chaud ébouriffe la dune.
« Qui va voir la mer le premier ? » interroge Michao.
Je cours en avant. Marguerite me suit. Après nous,
Michao boite comme un pirate. Il nous rattrape
et continue en direction de la plage.

« On ne peut pas se baigner, dis-je à Michao. On ne peut pas jouer au ballon avec ces galets. Et ça ne sert à rien de bâtir une forteresse, parce que la mer descend. Je ne sais pas quoi faire. »

Le soleil nous éclabousse les yeux. Michao plisse les paupières et regarde au loin.
« Qu'est-ce qu'il y a ? lui demande Marguerite.
– Il y a qu'on va construire un bateau », dit Michao.

Michao choisit notre emplacement et donne les instructions. Marguerite part pêcher des algues sur le sable au bord de l'eau. Moi, je cueille des bouts de bois près de la falaise et je les apporte au chantier.

Michao trie les bouts de bois. Il en met deux vis-à-vis et les autres en travers. Il me montre comment nouer les algues pour les faire tenir ensemble, pendant que Marguerite va ramasser des coquillages. Lorsque les nœuds sont terminés, le soleil est plus bas dans le ciel. Je demande à Michao :
« Est-ce que j'ai fait du bon travail ? »

Marguerite verse les cauris sur le bateau.
Michao dresse le mât et vérifie les nœuds.

« Oui, finit par dire Michao en posant une main sur mon épaule. Nous avons bien travaillé tous ensemble. Bravo. »

On enlève nos sandales tous les trois, on retrousse nos pantalons et on se risque juste un peu au-delà des vagues. Michao pose le bateau à la surface de l'eau. La marée, lentement, l'emporte vers le large.
« Où va-t-il ? » demande Marguerite.
Michao touche l'horizon avec son doigt :
« Il faut imaginer. »

Quand le bateau a disparu, Marguerite s'écrie :
« Au revoir !
– Au revoir, le bateau ! » fais-je en écho.
Michao ne dit rien. Il sort un mouchoir blanc
de son chapeau et l'agite en silence.